나는 속부터 병으로 만들어졌다

194

좀 더 건강한 내용을 쓸 걸 그랬나봐요

이 책은 출판까지 1년 6개월이 걸렸습니다
내 무력함 때문이지만 그래도 살아있긴 합니다

요즘 사람들 병든 거 누가 모릅니까
그래도 살아가야하니까
건강하게 살면 좋겠어요

치유가 쉬운 병은 아니지만
조금씩 아스러지고 있지만

아직 갈 때는 아닙니다

목차

제 1장

고요한

진심

가을

솜사탕

무게

비상사태

조개껍데기

좋아 하는 것을 찾을 수 있는 힘

기억의 관계

트라우마

물 불

얄궂게도 상처

호소

눈

십이각별

청산

제 3장

고립

무기력

무의미

불면

기대

여름바다

귀가

완벽

반대로

지나간

집착

최후

명백

푸념

미련

무지

공허

없다

고집

작아지다

시간이 지나면

야속

비탄하다

열망

낭만

과거

부추김

사이

유기적인

혼잣말

한심함

내 나약한 다짐은 왜 이리도 바쁘게 삭아버리는가

제 4장

제 1장

바닷속

새로운 사람을 만나는 것이 싫었다

좁은 바다속 큰 바위에 짓눌려 꼼짝 못 하게
가라앉고 싶었다

익숙해진 하루하루가 새롭게 바뀌는 게 싫었다

맹세컨대 새로움은 내게 탄식이다

그럼에도

결국 흘러가는 시간이기에
새로운 시작이 내게 왔다

그리고 이번 시작은

나에게 새롭고 진득한 한결같음이다

태양

따뜻한 사람이다
재밌는 사람이고, 밝은 사람이다
자신을 생각하지 않으면서 즐겁게 만들어주는 사람이다

그러면서 자신을 다 밝히는 사람은 아니었다

자신의 신념이 확고하여
너무나 매력적인 사람이다

처음 보는 독특한 사람이라
그 애가 궁금해졌다

도전

불확실한 미래에
쌓아온 과거를 거는 것

가치가 있노라 믿어 의심치 않는

작은 성공

가슴 벅찬 이 마음을

무력한 날 끌어올려 준 작은 성공에게 감사해

FALL IN FRIENDSHIP

막 웃음이 나온다
입가에서 히죽거리며 새어 나온다

너무 좋아서

청춘

난 항상 하늘을 보며 널 생각할 거야

너처럼 파란 하늘은 날 가슴 벅차게 만들거든

떨림

떨렸다
아무도 막지 못할듯한 의지
누구도 깨뜨리지 못할 굳건함
너무나도 강한 사람이라서

내 마음은 왜소해졌다

봄비

청춘들 사이에서 청춘에 물들며

마치 홀린 듯 너를 바라보게 된 것을

봄날이라서 그런가 보다
거센 봄비가 내 눈을 가렸나 보다

특별한

내가 적을 수 있는 단어가 없다

그 어떠한 단어도 이 제목에 어울리지 못한다

꽃놀이패

나는 이기적인 사람이라

너와 가까워질수록
함께한 시간이 늘어날수록

너를 더욱 보고 싶어졌다

태풍

태풍 앞에 흔들리는 촛불은 위태롭게 빛을 다하겠지만

태풍 앞에 태양빛이 꺼지겠느냐고,
뿌연 구름이 태양을 가렸을 뿐 그 빛이
꺼질 수가 있겠어라고

박수갈채

혼자선 해낼 수 없는 것

함께여서 더 가치 있었던 것

나를 잃다

무언가에 한순간에 빠진다는 것은 낭만적이다

어제의 내가 내가 아니게 되고
어제까지만 해도 보이던 길이 옅어진다

오직 너에게 가는 길만 선명하다

청사진

우리는 각자의 청사진에 서로를 그리고자 했다

너는 내게 우리의 미래를 여러 번 이야기해주었다

네가 그린 미래에 항상 내가 있었다

그래서 나는 우리의 그림을 항상 겹쳤다

너는 겹친 그림을 보았고,
나는 겹쳐진 그림을 보던 너를 보았다

단맛

당신은 내게 너무 단 사람이다
이 감정은 독이다, 맹세컨대 독이다

소화시키지 못한 감정과, 속 쓰림

집으로 가던 길

우리가 함께 돌아가던 그 길 끝에서

큰 도롯가를 벗어나 내려와 걷던 천에서

튀어나온 지렁이, 불어나 있던 물살.

그 끝에 있던 무지개를 아름답다며 보았다

자기 최면

단단한 사람이다

지금 이렇게 무너진다고 하더라도
단단한 사람이니

다시 일어날 수 있다

적정 온도

한낮의 뙤약볕을 잡는 사람이 될 것이다

온몸을 던져 잡을 것이라고

우연히 내 눈을 가려도

상관없다

내 눈을 가리기 위해 뻗은 소매 끝 향기조차
달콤할 것이다

별빛처럼

내 마음아
별빛보다 찬란한 사랑을 본 적 있었니
까만 밤하늘에 산들거리는 바람 한줄기에
자유롭게 흐드러지는 머리칼에

그리운 손 입맞춤을 날리며

부풀린 마음의 끝

적당히 해

제 2장

약점

아무것도 사랑치 못하는 너를
말도 안 되지만 모든 것을 사랑하는 너를

하늘

하늘은 무척이나 넓고 찬란하니,

내 얕은 한숨을 받아줄 수 있을 것이라 믿었다

SNUGGLE

다짐했다
약한 마음먹지 않기로
그런데 가끔씩 물러질 때는
그냥 꼭 안아주길 바랐다

눈초리라는 게, 마치 가시처럼

고요한

고요한 방 안에서 온전히 느꼈다

소란스러운 소리들은 내 속에서부터
터져 나오던 것이었다

진심

한없이 따뜻한 말

가을

익숙한 생활과 코가 매운 가을을 사랑했다

난 가을을 좋아했다

봄의 새로움이 두렵고,
여름은 너무 뜨겁고,
겨울에서는 다 끝난 기분이 들어서

적당히 진행 중인
익숙한 생활의 코 매운 가을을 사랑했다.

솜사탕

궂은 날씨가 찾아와 다 흘러도,
따뜻한 강물에 속삭이더라도,

더없이 달콤할 거니까 괜찮다

사라져도 괜찮다, 다시 퐁실퐁실 몸을 불릴 거니까

무게

하지만 괜찮아 극복해야지

난
어른이니까

비상사태

문제가 생겼다
하지만 네 탓은 아니었다

외롭게도 내 탓이다

조개껍데기

너와 맞물리는 껍데기가 되고 싶었다
네 무늬를 닮고 싶었다

하다못해 조개껍데기 속에 게가 되어 너와 함께하고 싶었다

하지만 나는 네 무늬 하나 바꾸지 못했다

좋아하는 것을 찾을 수 있는 힘

많은 사람이 자신이 좋아하는 것을 아직 찾지 못했다고
생각하고 있다
이기적이지만 내가 아직 찾지 못해서 모두가 아직 찾지
못했다고 하면 좋겠다

소수 같은 다수는 자신이 좋아하는 것을 찾았다고 한다
앞서가는 이들이 밉지 않다
이들이 있어 내가 걸어갈 수 있음을 알 수 있기 때문에

기억의 관계

기억의 이름은 다양하다

행복했던 기억은 추억이 되고,
힘들었던 기억은 트라우마가 된다

트라우마가 괴로움과 온다는 것은 알았지만,
추억이 그리움과 함께 올지 누가 알기나 했을까.

그리움만 커져서 그날의 행복을
두 번 다시 새기지 못한다는 것을 누가 알 수 있었을까

트라우마

머릿속이 헤집어지고
나는 내 몸을 주체하지 못하고 뒹군다
표정을 안정시키고 싶지만 자꾸만 찌그러지고
입술을 깨물며 안정을 위해 감은 눈 아래로
눈물이 찡그려져 나온다
진정하고 싶어 심호흡을 해도
분한 듯 씩씩거리는 소리만 들린다

내 옆에서 너는 당황하고
나는 미안해하고
너는 나는 진정시키려 위로하고
나는 그게 미안해 눈물이 멈추지 못한다

물. 불

불이 물을 사랑한다면
물이 떠나가지 못하게 미지근할까
그리 고여 썩은 물이 되도록 만들까

아니면 뜨겁게 타올라
물이 세상을 향해 나아가도록 할까

얄궂게도 상처

상처를 안 받을 수는 없으니,
겉을 단단히 하기보단 속을 단단히 연마할 것이다

호소

제발 나 사랑에 속아 울고 싶지 않아

눈

추운 겨울날 하늘을 보다
내 눈에 들어 간 눈 결정 조각을

나는 뾰족한 눈결정이 눈에 들어갔다며
네게 어리광을 부렸다

지금 생각하면, 맞다
우정으로 부릴 어리광은 아니었다

십이각별

십이각별을 온전히 품을 수는 없었다

가득히 안아봐도, 얇은 천으로 둘러매어도
온전히 그 면을 다 채울 수가 없다

내가 고체라면, 널 온전히 감쌀 수 없다
십이각별을 물에 빠뜨리든, 바람 한가운데 두든
온 방법이 있는데 형태를 바꿀 자신은 없다

청산

타인의 입을 빌리면 질투였고
너에게는 영락없는 집착이었을 거다

내 심술의 나이는 어렸지만
나는 여물어가기에

가을 추수의 벼 곡식마냥
나의 사춘기를
갈무리할 것이다

제 3장

고립

고립되어 혼자 남았을 때

그 누구의 말도 도움이 되지 않았다는 것을 알고 있다

그 길을 걸었고
그 길을 걷고 있다

네 마음에 최선을 다해라
조금은 이기적이고
조금은 배려하며
원하는 것을 얻고
불필요한 것은 나누며

남을 위하는 희생정신이 아닌
네가 너를 위하는 모든 것이
고립의 중심에서 네가 원하는 것을 줄 것이다

무기력

무기력은 날 감싸 안는다고 말한다
하지만 무기력은 관통상이다

섣불리 뽑을 수도 없고
내상은 회복되지 못해 쌓여간다
'뭐라도 해야 해'는 잔병치레처럼 내 몸을 좀먹는다
패배는 고배를 마신다더니 고배를 마실 기력조차 없다

무의미

불안은 심장을 옥죄는 가시덩굴과 같았다.
내 불안을 내가 통제할 수 없었기에 더욱 그러했을 것이다.
눈물이 차오르면 목구멍이 뜨거워지더라. 무언가 울컥
치솟았다. 눈물을 닦으면 다시 쑥 들어갔지만, 그 토기를
닮은 감정의 부산물은 사라질 순간을 잊어 남아 있고는
했다. 푸른 하늘을 올려다보는 횟수는 여전한데 씻겨가지
않은 이 마음을 바람에 날리는 구름에 얹어 본 들 의미가
있을까.

불면

내 침대 머리끝에서
소름 돋는 벌레가
내 온몸을 훑고 지나가더니
내 다리에 붙어 떨어지지 않는다

기대

긴 기다림 속에서
내 감정조차 무뎌졌지만

너와 만나는 그 한순간의 벅참을 위해

난, 오늘도 이곳에 왔다

수평선 바다

우린 항상 여름이면 바다를 보러 갔다
많은 여름날 중 단 하루를 정해 바다를 보고
당일 다시 돌아왔다

그렇게 우리는 바다에 발도 담그지 않으면서
바다를 보러 갔다

그냥 쳐다보기만 했다

들이치는 파도와 사그라드는 물거품
더 멀리 수평선과 그 위의 배를 보며

즐거웠노라고 다음 해 또 오자고 말했다

귀가

집으로 돌아가자

완벽

온전히 나를 품어줘

징그럽다고 생각하지 말아줘

그냥 나를 꼭 안아줘

숨도 못 쉴 정도로 꼭 안고서
늘 응원한다고 해줘

반대로

너는 내게 우는 법을 알려줬지만

감정을 토하는 법은 알려주지 않았다

뒤틀린

너와 함께한 시간들이 참 힘들었다

이제 넌 나의 지나간 악몽이지만
너에겐 곱씹어지는 악몽이었으면 한다

집착

내 인연의 끈이 짧아질수록 네가 필요하더라

누가 말하기를
친구는 필요에 의한 거라던데

난 네가 꼭 필요해서

그런 거더라

최후

결국 깨질 인연
왜 그리도 안달이었는지

명백

내 추억이다

같은 시간을 공유했지만 그렇게 된 것 같다

우리의 추억이 아니다

나의 추억이다

푸념

내 감정밖에 쓸 수 없다

이렇게 널 몰랐었나 싶다

미련

내 모든 기념을 다 지울 것이다
한 장의 메모리조차 남김없이 다 지우고 다시 찾지도 못하게
영구적으로 제거할 것이다
훗 날 네가 물어봤을 때 날아갔다며 너스레를 떨 내 모습이
보이지만, 아니 지금의 이 기억조차도 지워졌으면 한다

하지만 네게는,
네 사진첩에 우리 사진 하나 남았으면 좋겠다
난 지금 요동치는 마음에 자꾸 고꾸라져
성한 구석 없이 볼품없는 몸이지만
시간이 지나면 멈추어 줄 거라고

네 옆에 앉아 네 사진첩의 남은 사진을 보고는
이런 날도 있었지 하고 말하며
더 이상 요동치지 않는 마음을, 안정을

무지

난 배우는 것이 어려웠다
네가 알려주지 않은 것은 배울 시도조차 하지 않았다
모든 것을 너로 채우고 싶어서 그랬다는 변명을 했지만

네가 내 옆에 없는 세상에 미숙한 나를 보이는 게 무서웠던
것 같다

공허

모두 비워냈을까
다시 채워야 할까

실은 너무 어두워서 잔해가 안 보이는 게 아닐까

이 공간이 너무나 작았으면 좋겠다
뭐 하나 넣기 벅찬 크기여서, 사소한 일 하나 넣기가 벅차서
아무것도 못 넣으면 좋겠다

아무 일도 없으면 이 내용도 없을 수 있으니

없다

지금 아무것도 없다

모든 남은 것들은 과거의 부산물이고
지금 내 옆에 날 채워야 할 저 부산물들은 뒤에 남아
내 곁은 공허하게 먼지만 떠다닌다

고집

떨어지는 게 아니다, 끝까지 파고드는 거다
내 나락을 알아야 나도 내가 까치발로나마 디딜 틈을
찾을 수 있지 않겠는가

어둠 속에서 껑충 뛰는 건 힘들지만
아주 코앞은 걸어갈 수 있는 것처럼

물론 다리가 제 몫을 할 때의 이야기겠지만

작아지다

나는 언제나 당당했는데
언제부턴가 점점 위축되더니
알아볼 수도 없이 작아져 버렸다

시간이 지나면

시간이 지나면 잊을 것이다
그런 종류의 믿음

야속

나는 시간이 약이라고 하는 말이 너무나도 야속했다
나는 지금 당장 괜찮아지고 싶어서
차라리 이 처량한 가슴이 짓물려
형태를 알아보지 못했으면 해서

하지만 시간이 지나고 나니 그 말이 맞더라
이제는 아픈 기억조차 미화되더라

비탄하다

나 성격 진짜 이상해
그래도 봐주라, 나 좀 봐주라

이상하다고 욕해도 괜찮아 견딜게
나 좀 봐주라

열망

내가 사랑한 모든 것은 아름다웠다
하지만 그들은 나를 초라하게만 만들었다

낭만

집에 가는 길에 낭만을 샀다

수많은 꽃 중 가장 싱싱한 꽃을 달라고 했더니
붉은 장미 한단을 추천해 줬다

오늘 나는 낭만을 샀다
자연광에 더 붉게 타는 낭만을 샀다
충동적인 낭만은 집도 없어서
화병도 아닌 플라스틱 물병에 꽂혀있다
미약한 향기가 사그라들 땐 그 물도 썩어서
빛바랜 붉은 장미 꽃잎이
내 잡동사니 위로 쌓일 것이다

과거

행복했던 일이 추억이고
쓰라렸던 일이 경험이라면

우리는 어떤 과거일까

부추김

실패해서 내 탓으로 돌릴 걸 알고 있다
누군들 성공을 바라지 않겠냐마는
그리 쉬운 길은 아니니

자책도 병이다

그리고 나는 병이다

사이

우리 사이, 다시 만들지 말자
아무 이름도 붙이지 말자
나 혼자 아파서, 우리 사이
다시는 만나지 말자

유기적인

온갖 별세계가 내 세포를 원한다
갈가리 찢어 담을 수도 없도록 찢어서

그 추억 속 유리병에 날 간직해
찢다가 날아간 내 일부는 무시해요
마이크로미터로 찢어서 남은 게 있긴 할까요

유리병에 건조한 공기랑 같이 담아주세요
분무기로 물 한 번 뿌려줘요
공허하게 간직해 줘요
먼지투성이 유리병이 될 때까지요

내 생각에 그 유리병에는 내가 없을 것 같은데
내가 거기 남아 있나요?

혼잣말

습관처럼 말을 읊조리다
문득 정신이 들어 앞을 올려다보니
내가 하던 말이 혼잣말이라서
순간 가슴이 아렸다

한심함

결국 내 고단한 상황에 애정은 뒷전이 되어버리는데

나는 왜 그리 끌고 다녔을까

내 나약한 다짐은 왜 이리도 바쁘게 삭아버리는가

똑같은 하루의 변화구를 위한 나의 다짐은 크고 강대하였다
하지만 침대에 누워 여유라는 나태를 맛보다 보면
금세 사그라들고 말았다
내 다짐은 솜사탕에 설탕물로 방벽을 세운 듯했다

내 나약한 다짐은 왜 이리도 바쁘게
삭아버리는가

제 4장

진실

사실 생각해 보면
너는 다정했지만, 친절하지는 않았다

내가 빠진 바다는 따뜻했지만 그 깊이는 늦게 돌아오는
메아리 같았다

결국 돌아와서, 너무 늦지만 결국 돌아와서
그 뜻이 시려도 돌아온다는 그 다정함에

그리운 이름

한여름

앙금

나는 이제야

너를 건강하게 사랑할 수 있다

추신

안녕!
안녕!
가슴 깊이 좋아했어요!
사실 아직도 이 감정이 뭔지 알진 못하지만
그렇지만 알아줘요, 결코 얕지는 않았다는 걸

나는 속부터 병으로 만들어졌다

발 행 | 2024년 07월 19일
저 자 | 194
펴낸이 | 한건희
펴낸곳 | 주식회사 부크크
출판사등록 | 2014.07.15.(제2014-16호)
주 소 | 서울 금천구 가산디지털1로 119, SK트윈타워 A동 305호
전 화 | 1670 - 8316
이메일 | info@bookk.co.kr

ISBN | 979-11-410-9610-6

www.bookk.co.kr
© 194 2024